de boot

Helen van Vliet

M a r e t a k

1 mik en rop

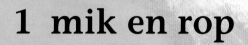

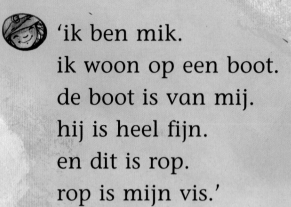

'ik ben mik.
ik woon op een boot.
de boot is van mij.
hij is heel fijn.
en dit is rop.
rop is mijn vis.'

sam

rop

fee

De verhalen in de serie *top* zijn geschreven op het laagste AVI-niveau en daarmee geschikt als eerste boeken om zelf te lezen. Door de leuke, grappige of beetje spannende verhalen met prachtige illustraties vormt de *top*-serie een mooie overgang van prentenboeken naar leesboeken. Veel leesplezier!

© 2010 Educatieve uitgeverij Maretak, Postbus 80, 9400 AB Assen

Tekst en illustraties: Helen van Vliet
Vormgeving: Gerard de Groot
ISBN: 978-90-437-0376-5
NUR 140
AVI START

'ik woon in een kom.
de kom is bol.
ik ben van mik.
mik is mijn maat.
waar mik is, ben ik ook.
mik gaat vaak met mij weg.
dat is tof!'

2 naar het bos

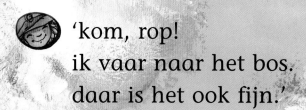

'kom, rop!
ik vaar naar het bos.
daar is het ook fijn.'

'wat wil je daar?
er is een boom.
en nog een boom.
boom, boom, boom.
en dat is het dan!'

'nee, ik wil in zee.
de zee is nat.
dat is pas fijn!'

'maar sam is in het bos!
raaf sam.'

'is sam in het bos?
dan wil ik wel mee!'

rop gaat mee in de kom.

in het bos is geen sam.
sam is weg.
rop wil naar sam.
waar kan hij zijn?

mik en rop gaan dan maar.
naar de boot.

kijk!
op de boot zit sam.

'dag mik, haa rop.
ik ben het bos zat.
ik wil naar zee!'

'wil je naar zee?
en jij ook, rop?
dan gaan we.
vaar maar met me mee.'

3 een gat in de boot!

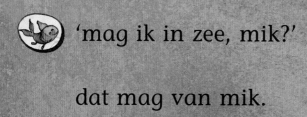 'mag ik in zee, mik?'

dat mag van mik.

 'ik ben in zee.
maar wat is de zee kil!
ik ril.
ik wil naar mijn kom!'

maar dan ... *bam!*
wat is dat?

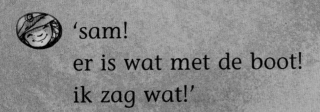 'sam!
er is wat met de boot!
ik zag wat!'

 'ik zag het ook.
maar wat was het?
wat is er met de boot?
oo, mik!
de boot is lek!'

'rop, waar ben je?
mijn boot gaat naar de maan!'

daar is rop al.

'ik weet het, mik!
er is een gat!
een gat in de boot!
oo, kom!
de boot gaat om!'

4 de fee

en dan ...
wat is dat?

 'haa, wat is er?
ik ben de zee fee.
er was een gil!
is er wat met de boot?'

wat maf.
de fee is net een vis!

'de boot is lek.
er zit een gat in!'

'weet je wat?
ik kijk er naar.
en ik maak het gat.
ik ben een vis.
en een fee.
dus ik kan dat wel.'

'ik bof met de fee.
al is ze wat maf.'

'met mijn vin
ga ik er in
op zijn kop
in het sop
het sop in mijn keel
dan is de boot heel!'

5 het gat is weg

 'wat tof, fee!
wat fijn dat jij dat kan!
de boot is heel!
het gat is weg!
ik geef je wat.
wat wil je?'

'geef mij maar een kus!'

'kom maar, rop!
jij gaat in de kom.
in de kom op de boot.
de zee is kil.
maar de kom is fijn.
dan ben je bij mik.
je maat!'

'waar woon jij, fee?'

 'ik woon in heel de zee.
is de boot lek?
gaat hij om?
gil dan maar.
dan kom ik er aan!'

 'dag fee!'

 'kom maar vaak!'

6 wat fijn!

mik, rop en sam gaan weg.
met de boot naar het bos.
sam wil in een boom.

'ik woon in een boom.
mik op een boot.
rop in de kom.
en de fee in zee!
wat fijn!'